# MathStart®

# 洛克数学启蒙 ❸

MathStart®
洛克数学启蒙③

# 鲨鱼游泳训练营

[美]斯图尔特·J.墨菲 文 [美]琳恩·克拉瓦斯 图 吕竞男 译

两位数减法

海峡出版发行集团 福建少年儿童出版社
THE STRAITS PUBLISHING & DISTRIBUTING GROUP FUJIAN CHILDREN'S PUBLISHING HOUSE

献给雷尼、汤姆、塔拉、约翰和埃里克。

——斯图尔特·J.墨菲

献给克洛和杰夫。

——琳恩·克拉瓦斯

著作权合同登记号：图字 13-2023-038号

图书在版编目（CIP）数据

洛克数学启蒙.3.鲨鱼游泳训练营 / (美) 斯图尔特·J.墨菲文 ; (美) 琳恩·克拉瓦斯图 ; 吕竞男译 . -- 福州：福建少年儿童出版社，2023.9
ISBN 978-7-5395-8233-7

Ⅰ.①洛… Ⅱ.①斯… ②琳… ③吕… Ⅲ.①数学 - 儿童读物 Ⅳ.①O1-49

中国国家版本馆CIP数据核字(2023)第073880号

LUOKE SHUXUE QIMENG 3 · SHAYU YOUYONG XUNLIANYING

洛克数学启蒙3·鲨鱼游泳训练营

著　　者：[美] 斯图尔特·J.墨菲　文　[美] 琳恩·克拉瓦斯　图　吕竞男　译
出 版 人：陈远　出版发行：福建少年儿童出版社　http://www.fjcp.com　e-mail:fcph@fjcp.com　社址：福州市东水路 76 号 17 层（邮编：350001）
选题策划：洛克博克　责任编辑：曾亚真　助理编辑：赵芷晴　特约编辑：刘丹亭　美术设计：翠翠　电话：010-53606116（发行部）　印刷：北京利丰雅高长城印刷有限公司
开　　本：889 毫米 ×1092 毫米　1/16　印张：2.5　版次：2023 年 9 月第 1 版　印次：2023 年 9 月第 1 次印刷　ISBN 978-7-5395-8233-7　定价：24.80 元

　　星期一的训练结束后，海洋城里的小鲨鱼们热切地聊着一个话题——全国游泳训练营。

　　"我们能见到最优秀的游泳运动员。"吉尔向往地说。

　　"我们能学到很多游泳技巧。"斑斑补充道。

　　吉尔和斑斑分别是游泳队的正、副队长。

"但是去那里得有路费。"小小指出。

"还需要有买午餐的钱！"弗丽和弗莱说，她们是一对孪生的双髻鲨姐妹。她俩好像总是饥肠辘辘。

"需要很多钱才行。"菲恩说，"可惜我们一点儿钱都没有。"

就在这时，蓝教练游了过来，她奋力地挥舞着一份《海洋城新闻》报。
"参加游泳训练营的机会来啦！"她兴奋地说，"为了庆祝海洋城银行成立 75 周年，这家银行设立了一项特别奖励：凡是本周内在海洋城游泳馆游完 75 圈的队伍，就能获得他们的资助，参加全国游泳训练营。"

"要游这么多圈呀。"小小不太自信地说，"而且我们只剩下 4 天时间。"
"但是我们有 6 个伙伴。"菲恩说道。
"我相信，只要你们一起努力，就可以完成目标。"蓝教练鼓励队员们。
小小深吸一口气，喊道："我们是鲨鱼，我们无所畏惧！"
"没错！"其他队员也欢呼起来。

星期二，队员们在一旁热身，蓝教练把目标写在一块公告牌上。

然后她吹响哨子，小鲨鱼们开始游泳。6条小鲨鱼集体游了一圈——从泳池这头游到另一头，然后再游回来。蓝教练大声喊道："加油，鲨鱼队，加油！"

鲨鱼马拉松
目标圈数：
75

　　小小、菲恩、弗丽和弗莱游完 2 圈后停下来。但吉尔和斑斑还在继续。他们又游完 1 圈才停下来。
　　"游得好！"蓝教练大声称赞。

小鲨鱼们看着蓝教练在记事板上把圈数累加起来，又从目标圈数 75 里减去今天游完的总圈数。

　　"干得漂亮！"蓝教练大声说。

　　"现在我们只剩下 61 圈了。"弗莱一边说，一边和弗丽狼吞虎咽地吃着点心。

今天是星期三，小鲨鱼们迫不及待地跳入游泳池。

"小鲨鱼们，入水时间到了！"蓝教练一边吹哨子一边喊。

小鲨鱼们拼命地游啊游。小小游完 2 圈后停下来，但其他队员全都游了 3 圈。

当蓝教练计算圈数时，小鲨鱼们全都围过来看。
算出总数后，她从剩余圈数里减去星期三游完的总圈数。
"还有 44 圈。"蓝教练大声宣布。

星期四，小鲨鱼们全都提前到达游泳馆。
"希望我们能完成目标。"斑斑看着公告牌说。
"我也希望。"吉尔说。

热身之后，蓝教练大声说："去吧！"小鲨鱼们纷纷潜入水中。这一次，2 圈游完后没有一名队员钻出水面。每个队员都游完了 3 圈，除了吉尔——他竟然游了 4 圈！

游完以后，队员们紧张地等待着，蓝教练正在统计结果。她用剩余圈数减去今天游完的总圈数。

"太棒啦!"蓝教练表扬队员们,"大家做得非常好,现在只剩下 25 圈了。"

小鲨鱼们休息时,弗丽问道:"全国游泳训练营会为我们提供什么食物?真想早点知道。说不定有玉米卷饼呢。"

"我最喜欢吃玉米卷饼。"弗莱说。

"我也是。"弗丽十分赞同。

星期五，大家热身完毕后准备开始游泳了，可是吉尔却迟迟未到。

"他去哪儿了？"菲恩问。

"我来了。"吉尔一边呻吟着，一边慢腾腾地游过来。

"你怎么了？"菲恩吃惊地喊道。

"我骑自行车时摔倒了。"吉尔痛苦地解释，"医生说我整整一个月都不能参加训练了！"

"啊，怎么会这样！"小小和斑斑哀叹道。
"全国游泳训练营没戏了。"弗丽叹了口气。
"吃不到玉米卷饼了。"弗莱也叹了口气。

小鲨鱼们围在蓝教练身边。

"少了吉尔，我们肯定达不成目标。"小小摘下泳镜，失望地说。

"不对，我们一定可以。"斑斑看着公告牌坚定地说，"只要我们每人都游5圈，就一定能成功。"

"记住，"吉尔说，"我们是鲨鱼……"

"……我们无所畏惧！"小小补充道。说完，她就戴上了泳镜。

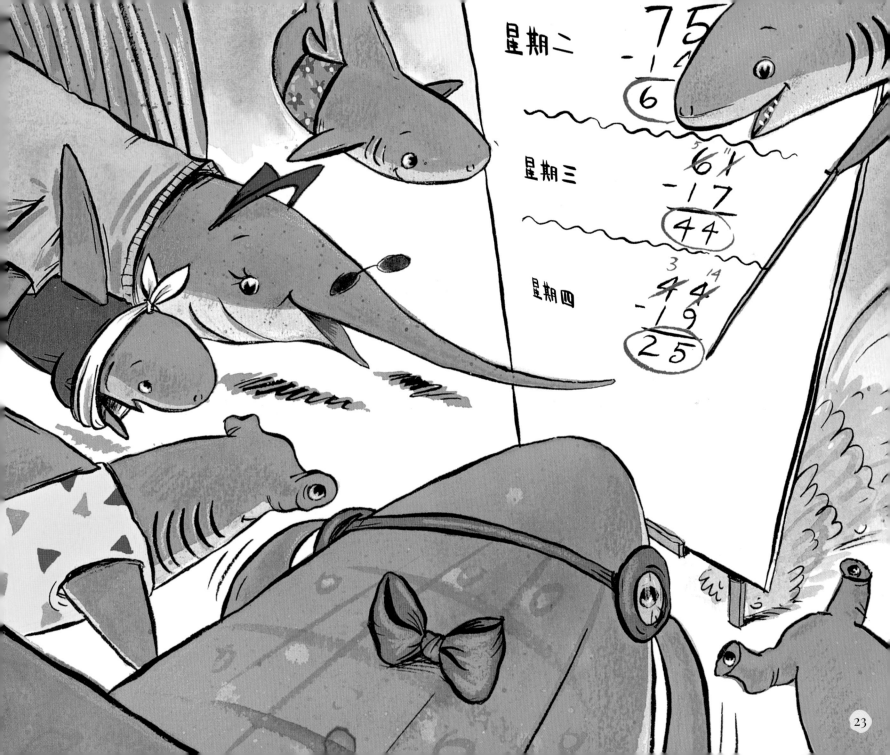

星期二　.75

6

星期三　6X
－17

44

星期四　44
－19

25

23

看着其他鲨鱼伙伴在水中猛冲，吉尔在一旁为他们加油鼓劲。
斑斑以破纪录般的速度游完了5圈。
弗丽和弗莱紧随其后，也游完5圈。
菲恩十分艰难地坚持到了第5圈的终点。

只剩下小小还在水中游着。
"加油，小小！"队员们大声叫着。
"为了吉尔，加油！"斑斑喊道。
"为了玉米卷饼，加油！"弗丽和弗莱也喊了起来。

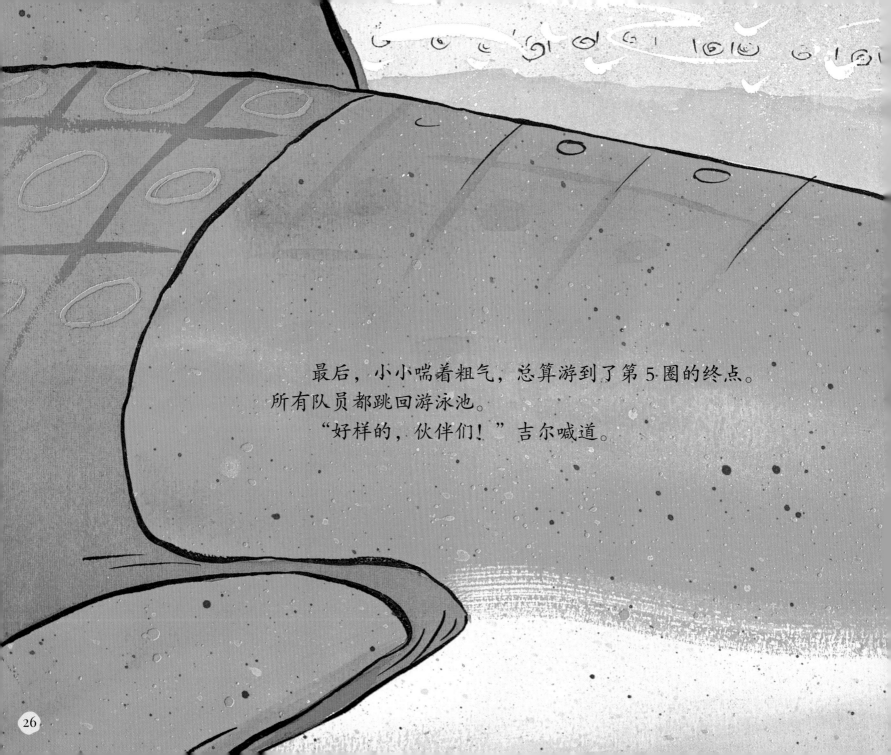

最后，小小喘着粗气，总算游到了第 5 圈的终点。
所有队员都跳回游泳池。
"好样的，伙伴们！"吉尔喊道。

蓝教练吹响哨子，召唤小队员们。

"你们难道不想看一看结果吗？"她问。

小鲨鱼们全都冲过去看公告牌。蓝教练已经写下每位队员取得的成绩。

"全国游泳训练营，我们来啦！"斑斑欢呼道。

"玉米卷饼，我们来啦！"弗丽和弗莱也一起欢呼起来。

第 2 天，小鲨鱼们登上了《海洋城新闻》的体育版。
1 个月后，全体队员都加入了全国游泳训练营。

《鲨鱼游泳训练营》中所涉及的数学概念是两位数的减法。掌握了两位数的减法后，孩子才能进一步掌握更大数字的减法。

对于《鲨鱼游泳训练营》中所呈现的数学概念，如果你们想从中获得更多乐趣，有以下几条建议：

1. 和孩子一起读故事，引导孩子描述每一幅图的情节。聊一聊每次训练结束后，蓝教练在公告牌上写的内容，同时提出问题："全队总共游了多少圈？""还需要再游多少圈？"

2. 在这个故事中，蓝教练所使用的是传统的两位数减法。本页右侧还列出两位数相减的其他计算方法。鼓励孩子尝试用其他方法来计算，甚至可以自创新方法。

从左到右法

$$\begin{array}{r} 61 \\ -17 \\ \hline \end{array}$$

17 等于 1 个 10 和 7 个 1。先从 61 减去 10。
61−10=51

$$\begin{array}{r} 51 \\ -7 \\ \hline 44 \end{array}$$

然后再从 51 中减去 7。

这就是答案！

凑整法

61−17=

$$61 + 3 = 64$$
$$17 + 3 = 20$$
$$64 - 20 = 44$$

如果减数的末尾是 0，计算时更加简便。我想把 17 变成 20，所以加上 3。

然后给 61 也加上 3。

太简单啦！

差数法

$$\begin{array}{r} 61 \\ -17 \\ \hline \end{array}$$

先减十位，即用 6 个 10 减去 1 个 10。60−10=50

$$\begin{array}{r} 50 \\ -6 \\ \hline 44 \end{array}$$

再减个位，1 个 1 减去 7 个 1，结果小于 0。

再将这两个结果加起来。
$$50 + (-6) = 44$$

如果你想将本书中的数学概念扩展到孩子的日常生活中，可以参考以下这些游戏活动：

1. 计算器游戏：需要两位玩家和一个计算器。在计算器上输入"101"，每个玩家轮流减去 1 到 9 之间的任何数字。最先得到零的玩家获胜。

2. 里程表游戏：开车旅行时，让孩子记录里程表的里程数，然后隔一段时间让孩子计算开过的里程总数。

3. 存钱游戏：至少需要两位玩家参与。每位玩家手上有 8 枚 1 元硬币，"银行"存有大约 50 枚 1 角硬币，再准备 15 张分别标着数字 1 到 15 的卡牌。游戏开始时，每位玩家各持有 8 枚 1 角硬币。把卡牌打乱，正面朝下放在一起。每位玩家轮流抽牌，按照卡牌上的数字把钱存入"银行"。如果玩家没有足够的零钱，需将 1 元硬币兑换成 10 枚 1 角硬币。最早把钱全部存入"银行"的玩家获胜。

# 洛克数学启蒙

| | |
|---|---|
| 《虫虫大游行》 | 比较 |
| 《超人麦迪》 | 比较轻重 |
| 《一双袜子》 | 配对 |
| 《马戏团里的形状》 | 认识形状 |
| 《虫虫爱跳舞》 | 方位 |
| 《宇宙无敌舰长》 | 立体图形 |
| 《手套不见了》 | 奇数和偶数 |
| 《跳跃的蜥蜴》 | 按群计数 |
| 《车上的动物们》 | 加法 |
| 《怪兽音乐椅》 | 减法 |

| | |
|---|---|
| 《小小消防员》 | 分类 |
| 《1、2、3，茄子》 | 数字排序 |
| 《酷炫100天》 | 认识1~100 |
| 《嘀嘀，小汽车来了》 | 认识规律 |
| 《最棒的假期》 | 收集数据 |
| 《时间到了》 | 认识时间 |
| 《大了还是小了》 | 数字比较 |
| 《会数数的奥马利》 | 计数 |
| 《全部加一倍》 | 倍数 |
| 《狂欢购物节》 | 巧算加法 |

| | |
|---|---|
| 《人人都有蓝莓派》 | 加法进位 |
| 《鲨鱼游泳训练营》 | 两位数减法 |
| 《跳跳猴的游行》 | 按群计数 |
| 《袋鼠专属任务》 | 乘法算式 |
| 《给我分一半》 | 认识对半平分 |
| 《开心嘉年华》 | 除法 |
| 《地球日，万岁》 | 位值 |
| 《起床出发了》 | 认识时间线 |
| 《打喷嚏的马》 | 预测 |
| 《谁猜得对》 | 估算 |

| | |
|---|---|
| 《我的比较好》 | 面积 |
| 《小胡椒大事记》 | 认识日历 |
| 《柠檬汁特卖》 | 条形统计图 |
| 《圣代冰激凌》 | 排列组合 |
| 《波莉的笔友》 | 公制单位 |
| 《自行车环行赛》 | 周长 |
| 《也许是开心果》 | 概率 |
| 《比零还少》 | 负数 |
| 《灰熊日报》 | 百分比 |
| 《比赛时间到》 | 时间 |